FOLIO CADET

Pour Ophelia

Traduit de l'anglais
par Marie Saint-Dizier

Titre original : *Billy and the Minpins*
Publié pour la première fois par Jonathan Cape Ltd., Londres

Ce titre a déjà été publié par Gallimard Jeunesse en 1991
sous le titres : *Les Minuscules*

ROALD DAHL

BILLY ET LES MINUSCULES

Illustré par Quentin Blake

GALLIMARD JEUNESSE

JE SUIS SAGE, MAMAN

La mère de Billy lui disait toujours ce qu'il avait le droit de faire et ce qu'il n'avait pas le droit de faire.

Tout ce qu'il avait le droit de faire était ennuyeux. Et tout ce qu'il n'avait pas le droit de faire était excitant.

L'une des choses qu'il ne devait ABSOLUMENT JAMAIS faire (la plus excitante de toutes), c'était de pousser tout seul la porte du jardin pour explorer le monde au-delà.

Un après-midi d'été ensoleillé, Billy, à genoux sur une chaise dans la salle à manger, contemplait par la fenêtre ouverte le merveilleux monde du dehors. Dans la cuisine, sa mère repassait. La porte était

ouverte mais elle ne le voyait pas et, de temps en temps, elle l'appelait :

– Billy, qu'est-ce que tu fais ?

Et il répondait toujours :

– Je suis sage, maman.

Mais Billy en avait plus qu'assez d'être sage. Par la fenêtre, pas très loin, il pouvait voir le grand bois sombre et secret que l'on appelait la Forêt Interdite. C'était un endroit qu'il avait toujours eu envie d'explorer.

Sa mère lui avait raconté que même les grandes personnes avaient peur d'y pénétrer. Elle lui récitait un poème bien connu dans la région :

Interdite, interdite, la forêt,
Beaucoup y sont entrés,
Aucun n'en est sorti.

– Pourquoi ne peut-on pas en sortir ? lui demandait Billy. Que se passe-t-il dans le bois ?

– Ce bois, lui disait sa mère, est rempli des bêtes sauvages les plus assoiffées de sang au monde !

– Des tigres et des lions ? demandait Billy.

– Bien pire !

– Qu'est-ce qui est pire que les tigres et les lions, maman ?

– Les Griffomings, répondait sa mère, ainsi que les Écornouflons, les Tarloubards et les Kpoux Vermicieux. Mais le pire de

tous, c'est l'Horrifiant Engoulesang Casse-Moloch Écrase-Roc. Il y en a un dans la forêt.

– Un Engoulesang, maman ?

– Exactement. Quand il poursuit quelqu'un, des nuages de fumée jaillissent de ses naseaux.

– Est-ce qu'il me mangerait ? demandait Billy.

– D'une bouchée, répondait sa mère.

Billy n'en croyait pas un mot. Selon lui, sa mère avait inventé cette histoire pour l'effrayer et l'empêcher de sortir de la maison tout seul.

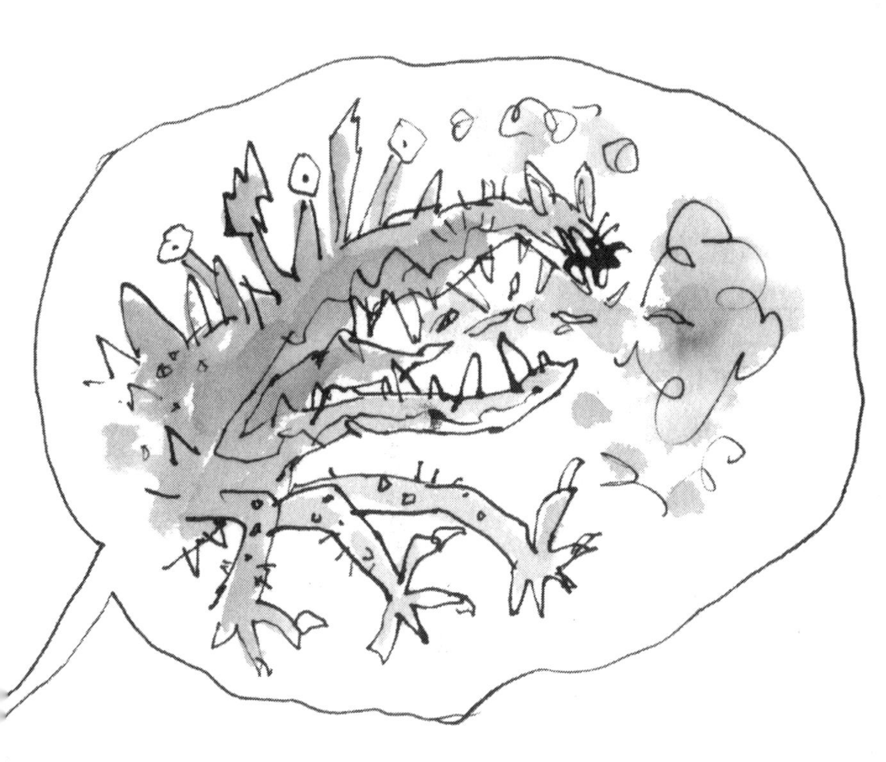

À présent, agenouillé sur une chaise, Billy contemplait avec envie par la fenêtre cette fameuse Forêt Interdite.

– Billy, cria sa mère, que fais-tu ?

– Je suis sage, maman, répondait-il.

Soudain, une drôle de chose se produisit. Billy entendit une voix qui chuchotait à son oreille. Il savait bien de qui il s'agissait. C'était le Diable. Il venait toujours marmonner à son oreille quand Billy s'ennuyait.

– Ce serait si facile de sortir en escaladant la fenêtre, chuchotait le Diable. Personne ne t'apercevrait. En un clin d'œil, tu te retrouverais dans le jardin, puis un autre clin d'œil et tu serais devant le portail, et en un dernier clin d'œil dans la merveilleuse Forêt Interdite que tu explorerais tout seul.

C'est un endroit fabuleux. Ne crois pas un mot de ce que ta mère te raconte, on n'y trouve pas de Griffomings, d'Écornouflons, de Tarloubards, de Kpoux Vermicieux, ni d'Horrifiant Engoulesang Casse-Moloch Écrase-Roc. Ça n'existe pas.

– Et qu'est-ce qu'on y trouve, alors ? murmura Billy.

– Des fraises sauvages, lui répondit le Diable à voix basse. Tout le sol de la forêt est tapissé de fraises sauvages vermeilles, savoureuses, juteuses. Va voir toi-même.

Tels furent les mots que le Diable chuchota à l'oreille de Billy, par cet après-midi d'été ensoleillé.

Un instant plus tard, Billy sortait en escaladant la fenêtre.

Cours, Billy ! Cours, cours, cours !

En un clin d'œil, Billy atterrit en douceur sur le parterre de fleurs.

En un clin d'œil, il poussa le portail du jardin.

Et, en un clin d'œil, il se trouva à la lisière de la grande et sombre Forêt Interdite.

Il avait réussi ! Maintenant, la forêt était tout à lui et n'attendait que d'être explorée.

Se sentait-il inquiet ?

Comment ?

Qui venait de parler d'inquiétude ?

Des Écornouflons ? Des Kpoux Vermicieux ? Qu'est-ce que c'était que ces bêtises ?

Billy hésita.

– Je ne suis pas inquiet, assura-t-il. Pas du tout. Jamais de la vie.

Il s'enfonça très, très lentement dans la grande forêt. Bientôt, de tous les côtés, des arbres géants l'entourèrent et, au-dessus de lui, leurs branches formaient presque une voûte, cachant le ciel. Çà et là, de petits rayons de soleil brillaient à travers le feuillage. Le silence régnait. Un silence de mort au sein d'une cathédrale immense, vide et toute verte.

Quand il se fut aventuré un peu plus loin, Billy s'arrêta. Immobile, il écoutait. Il n'entendait rien. Rien du tout. Le silence était absolu.

Vraiment ? Attendez.

Qu'était-ce donc ?

Billy tourna vivement la tête pour fixer les ténèbres lugubres et profondes de la forêt.

Encore ! Cette fois-ci, il n'y avait pas d'erreur.

Au loin, un faible sifflement, comme un léger coup de vent, se faisait entendre et se propageait à travers les branches.

Le bruit s'amplifia. À chaque seconde, il gagnait en puissance et soudain ce fut un autre bruit, sifflant, soufflant, repoussant, reniflant, en un mot, terrifiant, comme si quelque créature gigantesque galopait vers lui, haletante.

Billy s'enfuit en courant.

Billy n'avait jamais couru aussi vite de sa vie. Mais le bruissement sifflant, soufflant, repoussant, reniflant le poursuivait. Pire encore : il s'intensifiait. Ce qui signifiait

que la chose qui produisait ce bruit, la créature galopante, se rapprochait… prête à le rattraper !

« Cours, Billy ! Cours, cours, cours ! »

Il contourna de larges arbres, sauta par-dessus des racines et des ronces. Il se baissa pour filer sous les buissons et les branches. Il courait comme s'il avait des ailes. Mais le

bruissement sifflant, soufflant, repoussant, reniflant, était de plus en plus bruyant, de plus en plus proche.

Billy jeta un regard par-dessus son épaule. Ce qu'il aperçut au loin lui glaça le sang. Des stalactites se formaient dans ses veines. Deux énormes nuages de fumée

rouge orangé tourbillonnants émergeaient des arbres et se dirigeaient vers lui. Ils furent suivis de deux autres, SHWAOUSH ! VRAOUSH ! Et de deux autres encore, SHWAOUSH ! VRAOUSH ! « Ça vient sans

doute des naseaux de la bête haletante et galopante qui m'a reniflé et qui me poursuit », se dit Billy. La petite chanson de sa mère s'égrenait dans sa tête :

Interdite, interdite, la forêt,
Beaucoup y sont entrés,
Aucun n'en est sorti.

– C'est sûrement l'Engoulesang ! s'écria Billy. Maman m'a dit qu'il crachait de la fumée quand il poursuivait quelqu'un. C'est l'Horrifiant Engoulesang Casse-Moloch Écrase-Roc ! Il va m'attraper, me sucer le sang, me casser le moloch, m'écraser le roc et me tailler en petits morceaux, et puis il me recrachera comme de la fumée et c'en sera fini de moi !

WOUSH ! WAOUSH !

Billy courait à la vitesse de l'éclair mais, chaque fois qu'il regardait derrière lui, les nuages de fumée rouge orangé se rapprochaient. Maintenant, il les sentait souffler sur son cou. Et ce vacarme !

Un bruissement sifflant, soufflant, repoussant, reniflant, assourdissant ! Terrifiant ! Ça faisait WAOUSH ! WAOUSH ! Et WAOUSH ! WAOUSH ! WAOUSH ! Comme une locomotive à vapeur quittant une gare.

Et soudain, il entendit un autre bruit encore plus terrifiant. Un galop de sabots géants martelait le sol de la forêt. Il se retourna de nouveau, mais la Chose, la Bête, le Monstre, quoi que ce fût, était caché par la fumée qu'il crachait en galopant.

Cerné par des tourbillons de fumée, Billy sentait son haleine brûlante. Pire, il sentait son haleine répugnante ! Elle empestait les entrailles d'un animal mangeur de chair fraîche.

– Maman ! cria-t-il. Sauve-moi !

Tout à coup, juste en face de lui, il aperçut le tronc d'un arbre énorme. Ce n'était pas un arbre ordinaire : celui-là avait des branches qui touchaient presque le sol. Il prit son élan, sauta sur la branche la plus basse et s'y accrocha.

Il saisit ensuite une branche un peu plus haute et se hissa dessus. Il grimpa de plus en plus haut, pour échapper au terrible monstre siffleur, cracheur de feu à l'haleine fétide. Il ne s'arrêta que lorsqu'il fut trop épuisé pour continuer.

Il leva les yeux, mais ne réussit toujours pas à apercevoir la cime de cet arbre géant qui semblait interminable. Il baissa les yeux, mais ne distingua même plus le sol. Il se trouvait dans un monde de feuillage touffu et de branches lisses, loin de la terre et du ciel. Le monstre siffleur, cracheur de feu à l'haleine fétide, était à des kilomètres de là. On ne l'entendait plus.

Billy trouva un endroit confortable, sur une fourche, et il s'assit pour se reposer.

En tout cas, pour le moment, il était en sécurité.

Alors, une chose étrange se produisit. Près de l'endroit où se tenait Billy, il y avait une énorme branche toute lisse sur laquelle un petit bout d'écorce, pas plus gros qu'un timbre-poste, bougeait. Il se fendait par le milieu et les deux moitiés s'ouvraient lentement de chaque côté, comme les volets d'une minuscule fenêtre.

Billy fixait ce phénomène extraordinaire. Soudain, il fut envahi par un sentiment étrange et désagréable. Il avait l'impression que l'arbre sur lequel il était perché, tout comme le feuillage alentour, faisait partie d'un autre monde où il n'avait pas le droit de pénétrer. Il regarda intensément les minuscules volets taillés dans l'écorce qui s'ouvraient de plus en plus. Une fois complètement écartés, ils révélèrent une petite fenêtre carrée fixée avec soin dans le creux de la grosse branche. De cette fenêtre perçait une lueur jaunâtre semblant venir des profondeurs.

Nous sommes les Minuscules

Billy aperçut un visage minuscule. Il avait surgi tout à coup, de nulle part, et c'était le visage d'un très vieil homme aux cheveux blancs. Billy le voyait nettement, bien qu'il ne fût pas plus gros qu'un pois.

Ce vieux et minuscule visage fixait Billy d'un air très sévère. Sa peau était profondément ridée mais ses yeux brillaient comme des étoiles.

Un événement encore plus étrange survint. Tout autour de lui, sur le tronc de l'arbre et sur chacune des grosses branches, d'autres minuscules fenêtres s'ouvraient,

révélant de minuscules visages attentifs. Certains étaient des visages d'hommes et d'autres, manifestement, des visages de femmes. Ici ou là, la tête d'un enfant, appuyée sur le rebord de la fenêtre, le regardait fixement. Ces têtes n'étaient pas plus

grosses qu'une tête d'allumette. À la fin, au moins vingt fenêtres s'étaient ouvertes tout autour de l'endroit où se trouvait Billy et, à chacune d'elles, un étonnant petit visage l'observait, immobile, muet, presque fantomatique.

Le minuscule vieil homme sembla dire quelque chose, mais dans un si doux murmure que Billy dut se pencher pour l'entendre.

– Tu es dans un drôle de sac de nœuds, n'est-ce pas ? disait la voix. Tu ne peux pas descendre sous peine d'être englouti, mais tu ne peux pas non plus rester ici toute ta vie.

– Je sais, je sais, bredouilla Billy.

– Ne crie pas, dit le petit homme.

– Je ne crie pas, rétorqua Billy.

– Parle plus doucement, murmura le petit homme, sinon, je risque de m'envoler.

– Mais… mais… qui êtes-vous ? demanda Billy en s'efforçant de parler doucement, cette fois-ci.

– Nous sommes les Minuscules, répondit le petit homme. Et cette forêt nous appartient. Je vais m'approcher, comme cela, tu m'entendras mieux.

Le vieil homme sortit en escaladant la fenêtre, descendit par la grosse branche glissante et pentue, grimpa par une autre et se retrouva à quelques centimètres du visage de Billy… C'était étonnant de le voir arpenter de haut en bas ces branches presque verticales, sans la moindre difficulté. C'était comme regarder quelqu'un aller et venir sur un pan de mur.

– Mais comment vous faites ? demanda Billy.

– Grâce à mes bottes ventouses, répondit le Minuscule. Nous en avons tous. Sans elles, nous ne pourrions pas vivre dans les arbres.

Il était chaussé de bottes vertes qui ressemblaient à de minuscules bottes en caoutchouc.

Ses habits brun et noir étaient étrangement démodés. C'était le genre de vêtements que les gens portaient il y a deux ou trois siècles.

Soudain, les autres Minuscules, hommes, femmes, enfants, escaladèrent leurs fenêtres et se dirigèrent vers Billy. Grâce à leurs bottes ventouses, ils se déplaçaient avec aisance le long des branches les plus raides – certains marchaient même sous les branches, tête à l'envers. Tous étaient vêtus de ces habits démodés et plusieurs portaient des

chapeaux bizarres ou des bonnets. Ils se tenaient debout ou assis en groupe sur les branches autour de Billy, en le dévisageant comme s'il était un extraterrestre.

– Vivez-vous vraiment tous à l'intérieur de cet arbre ? demanda Billy.

– Tous les arbres de cette forêt sont creux, répondit le vieux Minuscule. Pas seulement celui-là, mais chacun d'eux. À l'intérieur vivent des milliers et des milliers de Minuscules. Ces arbres immenses sont remplis de pièces et d'escaliers, non seulement dans le tronc mais aussi dans la plupart des branches. Tu es dans une forêt Minuscule et ce n'est pas la seule en Angleterre.

– Puis-je jeter un coup d'œil ? demanda Billy.

– Bien sûr, bien sûr, répondit le vieux Minuscule. Approche-toi de cette fenêtre.

Il lui désignait celle qu'il venait de franchir. Billy changea de position et plaça un œil contre l'ouverture, pas plus grande qu'un timbre-poste.

Et ce qu'il vit était merveilleux.

Le Goinfrognard sait que tu es là-haut !

Billy aperçut une chambre éclairée par une lueur jaune pâle, meublée de chaises et d'une table miniatures, de très belle qualité.

Sur le côté, il y avait un lit à baldaquin. Cela ressemblait aux pièces que Billy avait vues un jour dans la maison de poupées du château de Windsor.

– Magnifique ! s'exclama-t-il. Toutes les pièces sont-elles aussi jolies ?

– La plupart sont plus petites, répondit le vieux Minuscule. Celle-ci est immense parce que je suis le maître de cet arbre. Mon nom est Don Mini. Quel est le tien ?

– Billy.

– Bonjour, Billy, dit Don Mini. Si tu désires contempler d'autres pièces, tu es le bienvenu. Nous en sommes très fiers.

Toutes les autres familles souhaitaient montrer leur logis au visiteur.

– Viens voir chez nous ! S'il te plaît, viens voir chez nous ! criaient-elles en se pressant le long des branches.

Billy commença à grimper et à regarder par les minuscules fenêtres.

Par l'une d'elles, Billy aperçut une salle de bains comme la sienne mais cent fois plus petite. Par une autre, il vit une salle de classe remplie de petits pupitres et, au fond, un tableau noir.

Dans un coin de chaque pièce, un escalier menait à l'étage supérieur.

Tandis que Billy passait d'une fenêtre à l'autre, les Minuscules le suivaient en groupe, souriant à ses cris d'admiration.

– Merveilleux ! C'est bien plus joli que chez moi !

Quand la visite fut terminée, Billy se rassit sur sa branche et s'adressa à tous les Minuscules :

– Écoutez, j'ai passé un excellent moment avec vous, déclara-t-il au peuple des Minuscules, mais comment vais-je rentrer chez moi ? Ma mère doit être folle d'inquiétude.

– Tu ne pourras jamais descendre de cet arbre, dit Don Mini. Je t'ai averti. Si tu es assez bête pour essayer, tu seras mangé en trois secondes.

– Par l'Engoulesang? s'enquit Billy. Par l'Horrifiant Engoulesang Casse-Moloch Écrase-Roc ?

– Je n'en ai jamais entendu parler. Celui qui t'attend en bas est le terrible Goinfrognard cracheur de fumée rouge. Il se goinfre de tout, dans la forêt, de centaines d'humains et de millions de Minuscules. C'est pour cela que nous habitons en hauteur. Son incroyable nez magique le rend très redoutable. Grâce à lui, il peut sentir un humain, un Minuscule ou tout autre animal à plus de quinze kilomètres à la ronde. Alors, il se met à galoper vers sa proie à toute vitesse. Il ne voit jamais ce qu'il y a devant lui à cause de la fumée qu'il crache par le nez et la gueule, mais cela ne le gêne pas. Son nez lui dit exactement où aller.

– Pourquoi crache-t-il toute cette fumée ? demanda Billy.

– Parce qu'il a un feu brûlant dans le

ventre, expliqua Don Mini. Il adore la viande grillée. Quand il engloutit de la viande crue, elle rôtit dans son ventre.

– Goinfrognard ou pas, je dois rentrer, dit Billy. Et vite.

– N'essaie pas, je t'en prie, supplia Don Mini. Le Goinfrognard sait où tu es, il t'attend en bas. Si tu descends avec moi, je te le montrerai.

Les oiseaux sont nos amis

Don Mini marcha tranquillement le long du tronc d'arbre tandis que Billy descendait prudemment à sa suite.

Bientôt, au-dessous d'eux, ils commencèrent à sentir le souffle répugnant du monstre. La fumée rouge orangé enveloppait les branches basses d'épais nuages.

– À quoi ressemble-t-il ? chuchota Billy.

– Nul ne le sait, répondit Don Mini. Avec cette vapeur et cette fumée ! Si l'on se trouve derrière lui, on peut parfois en entrevoir de petits bouts parce que toute la fumée s'échappe par l'avant. Certains Minuscules disent avoir vu ses énormes pattes arrière noires et poilues, qui ont la forme de pattes de lion, mais dix fois plus grandes. On prétend qu'il a une tête de crocodile avec des rangées et des rangées et des rangées de dents pointues. En fait, personne ne sait vraiment. En tout cas, il doit avoir des naseaux gigantesques pour cracher toute cette fumée !

Immobiles, ils écoutaient le Goinfrognard gratter la terre de ses sabots géants, au pied de l'arbre, avec des grognements affamés.

– Il te sent, dit Don Mini. Il sait que tu n'es pas loin. Maintenant, il va attendre de t'attraper aussi longtemps qu'il le faudra. Il adore les humains, comme toi les fraises à la crème, et il n'en attrape pas très souvent. Il a fait un régime de Minuscules pendant des mois, mais mille Minuscules ne représentent même pas un casse-croûte pour ce monstre. Il est affamé.

Billy et Don Mini escaladèrent l'arbre à nouveau pour rejoindre les autres

Minuscules. Ceux-ci se réjouirent de voir le garçon sain et sauf.

– Reste avec nous ! s'écrièrent-ils. Nous nous occuperons de toi.

À cet instant, une ravissante hirondelle bleue se posa sur une branche, à proximité d'eux. Une mère Minuscule et ses deux enfants montèrent sur son dos, comme si c'était tout naturel.

Puis l'hirondelle s'envola, ses passagers confortablement installés entre ses ailes.

– Incroyable ! s'écria Billy. Est-ce une hirondelle apprivoisée ?

– Pas du tout, répondit Don Mini. Nous connaissons tous les oiseaux. Ce sont nos amis, ils nous aident à nous déplacer. Cette dame conduit ses enfants chez leur grand-mère qui habite dans une autre forêt, à une soixantaine de kilomètres d'ici. Ils arriveront en moins d'une heure.

– Vous pouvez leur parler ? Je veux dire, aux oiseaux, demanda Billy.

– Bien sûr, répondit Don Mini. Nous les appelons quand nous voulons aller quelque part. Sinon, comment irions-nous chercher nos provisions ? Nous ne pouvons pas nous risquer dans la forêt, à cause du Goinfrognard.

– Les oiseaux aiment-ils vous aider ?

– Ils feraient n'importe quoi pour nous. Ils nous adorent et nous les adorons aussi. Nous stockons la nourriture à l'intérieur des arbres pour qu'ils ne meurent pas de faim quand l'hiver glacial arrive.

Soudain, une nuée d'oiseaux de toutes

sortes se posèrent sur les branches de l'arbre, autour de Billy, et une foule de Minuscules grimpèrent sur leur dos. La plupart d'entre eux portaient de petits sacs en bandoulière.

– À cette heure-ci, ils vont chercher de

quoi manger, expliqua Don Mini. Tous les adultes doivent aider à trouver de la nourriture pour la communauté. La population de chaque arbre est autonome. Nos grands arbres sont comme vos villes et nos petits arbres comme vos villages.

C'était un spectacle époustouflant.

Des dizaines d'oiseaux merveilleux de toutes espèces venaient se percher sur les branches du grand arbre et, à peine posés, repartaient chacun avec un Minuscule sur le dos.

Il y avait des merles, des grives, des alouettes, des corbeaux, des étourneaux, des geais, des pies et de petits pinsons. Tout cela était rapide et bien organisé. Chaque oiseau semblait savoir exactement quel Minuscule il emmenait, et chaque Minuscule semblait reconnaître instantanément l'oiseau qu'il avait demandé pour la matinée.

– Les oiseaux sont nos voitures, dit Don

Mini, sauf qu'ils sont bien plus agréables, et qu'ils n'ont jamais d'accident !

Bientôt, tous les Minuscules adultes, sauf Don Mini, s'étaient envolés et il ne restait plus que les enfants. Mais quand les rouges-gorges arrivèrent, ils montèrent à leur tour sur leur dos et commencèrent à effectuer de petits voyages.

– Ils apprennent tous à voler sur les rouges-gorges, dit Don Mini. Ces oiseaux raisonnables et prudents adorent les enfants.

Billy restait là à regarder. Il n'en croyait pas ses yeux.

Appelez le cygne !

– N'y a-t-il vraiment aucun moyen de se débarrasser de ce répugnant Goinfrognard cracheur de fumée rouge ? demanda Billy alors que les enfants faisaient des essais de vol.

– Le Goinfrognard ne peut mourir que s'il tombe en eau profonde, répondit Don Mini. L'eau éteint le feu qu'il crache. Il a besoin du feu pour vivre, comme toi de ton cœur. Si on empêche ton cœur de battre, tu mourras. Éteins le feu d'un Goinfrognard, et il mourra en cinq secondes. C'est la seule façon de le tuer.

– Attendez, intervint Billy, n'y aurait-il pas par hasard un étang ou un point d'eau dans la forêt ?

– Il y a un lac de l'autre côté de la forêt. Mais qui peut y attirer le Goinfrognard ? Pas nous, et certainement pas toi non plus. Il t'aura attrapé avant que tu puisses l'approcher à moins de dix mètres.

– Vous avez dit qu'il ne voit pas devant lui parce qu'il crache trop de fumée, dit Billy.

– C'est vrai, répondit Don Mini. En quoi cela va-t-il nous aider ? Comment tomberait-il dans le lac ? Il ne sort jamais de la forêt.

– Je crois savoir comment faire, dit Billy. Il faut trouver un oiseau assez gros pour me porter.

– Tu es un tout petit garçon, dit Don Mini après un instant de réflexion. Un cygne te porterait facilement.

– Appelez un cygne, décréta Billy avec une soudaine autorité.

– Mais… j'espère que tu ne tenteras rien de dangereux, s'écria Don Mini.

– Écoutez-moi bien, reprit Billy, parce que vous aurez à expliquer au cygne ce qu'il devra faire. Quand j'aurai grimpé sur son dos, il volera près du Goinfrognard. Le monstre me sentira et il saura que je suis tout près. Mais il ne pourra pas me voir avec toute cette fumée. Il deviendra fou à essayer de m'attraper. Le cygne viendra le tenter, il s'approchera de lui puis il s'éloignera. Est-ce possible ?

– Tout à fait, répondit Don Mini. Mais tu risques de tomber, tu n'as pas l'habitude de voler sur un oiseau !

– Je m'accrocherai bien, dit Billy. Alors, le cygne, volant toujours bas, traversera la forêt, le vorace Goinfrognard lancé à sa poursuite, rendu fou par mon odeur et, à la fin, le cygne survolera le lac aux eaux profondes, et le monstre, qui le suivra au galop, se retrouvera dans l'eau vite fait. Bien fait !

– Tu es génial, mon garçon ! s'écria Don Mini. Tu vas vraiment le faire ?

– Appelez le cygne ! ordonna Billy.

Don Mini se tourna vers un rouge-gorge qui revenait juste d'effectuer un vol d'entraînement avec un des enfants. Billy l'entendit lui murmurer quelque chose dans un étrange gazouillis auquel il ne comprit rien. L'oiseau inclina la tête et s'envola.

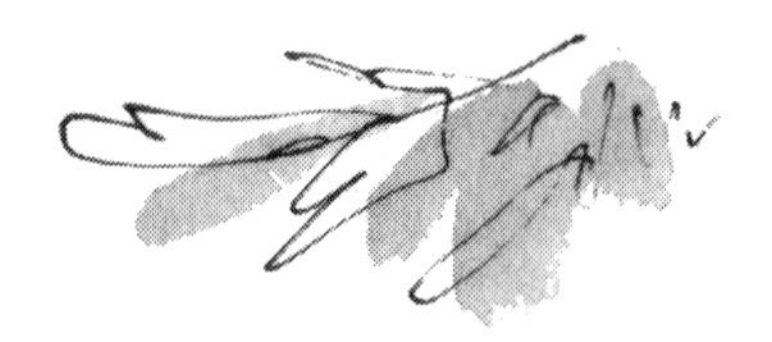

Un instant plus tard, un cygne splendide, blanc comme neige, arriva en piqué et atterrit sur une branche, à proximité.

Don Mini le rejoignit et se remit à gazouiller sans s'interrompre, tandis que le cygne, lui, opinait de la tête. Cette fois-ci, la conversation dura un peu plus longtemps.

– Cygne est d'accord ! Il trouve l'idée extraordinaire ! s'écria Don Mini en se tournant vers Billy. Il s'inquiète seulement un peu parce que tu n'as jamais volé. Il insiste pour que tu t'accroches solidement à ses plumes.

– Ne vous inquiétez pas, déclara Billy, je m'accrocherai d'une façon ou d'une autre. Je ne veux pas finir rôti dans le ventre du Goinfrognard.

Billy grimpa sur le dos de Cygne. De nombreux Minuscules qui s'étaient envolés peu de temps auparavant revenaient déjà, leurs sacs remplis à ras bord. Rassemblés sur les branches, ils regardaient avec étonnement ce petit humain qui se préparait à s'envoler sur Cygne.

– Au revoir, Billy ! criaient-ils. Et bonne chance ! Oui, bonne chance !

Le grand cygne déploya ses ailes et s'envola doucement à travers les nombreuses branches de l'arbre.

BILLY SE TENAIT FERMEMENT

Billy se tenait fermement. Oh, comme c'était grisant de voler sur ce bel oiseau et de sentir le vent vous fouetter le visage ! Billy s'accrochait solidement aux plumes.

Brusquement, juste au-dessous d'eux, il vit le nuage de fumée et de vapeur rouge orangé que crachaient les naseaux de l'épouvantable Goinfrognard. La fumée le dissimulait presque entièrement mais, en s'approchant, Billy réussit à deviner l'ombre énorme du monstre. Alléché par l'odeur de l'enfant, celui-ci haletait de plus belle, dégageant toujours plus de fumée, WAHOUSH WAHOUSH ! WAHOUSH WAHOUSH ! WAHOUSH WAHOUSH ! Billy sentait que le monstre se rapprochait ! WAHOUSH WAHOUSH !

Cygne entrait et sortait du nuage de fumée, attisant la colère du monstre. La bête, ou plutôt le nuage de fumée, se jetait sur sa proie, mais Cygne esquivait chaque assaut. Les grognements s'amplifiaient, toujours plus féroces, et la fumée brûlante ne cessait de s'épaissir. WAHOUSH WAHOUSH ! WAHOUSH WAHOUSH !

À un moment, Cygne se retourna pour

vérifier que tout se passait bien pour Billy. Il acquiesça d'un signe de la tête en souriant et il eut l'impression que l'oiseau lui répondait de même.

Enfin, Cygne décida que le jeu avait assez duré. Dans son nuage de fumée rouge orangé, le monstre s'emballait, trépignant de faim et d'impatience. La forêt entière résonnait des grondements et des halètements de la bête immonde. Cygne plana autour de lui et se dirigea droit vers la lisière de la forêt, le gros nuage de fumée derrière lui. Il faisait toujours bien attention de voler à basse altitude, devant le Goinfrognard, se frayant avec précaution un chemin à travers les grands arbres de la forêt. L'odeur de la chair humaine excitait de plus en plus les narines du Goinfrognard, et il songeait

sans doute qu'au train où il galopait, il finirait par attraper son repas.

Enfin, juste devant eux, ils virent le lac à la lisière de la forêt. Derrière, le monstre, dévorant la route, ne s'intéressait qu'à l'appétissante odeur humaine qu'il suivait.

Cygne s'élança vers le lac et vola au ras de l'eau. Le Goinfrognard suivait toujours.

Billy se retourna et le vit plonger dans le lac. Alors, le lac tout entier sembla entrer en éruption ; l'eau bouillonnait, fumait et moussait.

Pendant un court instant, le terrible Goinfrognard cracheur de fumée rouge orangé fit bouillir et fumer le lac comme un volcan. Puis le feu s'éteignit et l'épouvantable bête disparut dans les vagues.

Hourra pour Billy !

Quand tout fut terminé, Cygne et Billy s'élevèrent dans les airs et tournoyèrent au-dessus du lac, pour y jeter un dernier regard.

Soudain, le ciel entier fut rempli d'oiseaux qui transportaient un ou plusieurs Minuscules sur leur dos. Billy reconnut Don Mini volant à leur hauteur sur un beau geai. Il agitait les bras et lançait des cris de triomphe. On aurait dit que tous les Minuscules du grand arbre s'étaient donné rendez-vous pour assister à cette grande victoire sur le redoutable Goinfrognard. Des oiseaux de toutes sortes volaient en cercle autour de Billy et de Cygne, tandis que les Minuscules applaudissaient et criaient de joie. Billy les

salua en retour. Il riait et songeait que tout ceci était vraiment extraordinaire.

Puis, Cygne en tête, tous les oiseaux et les Minuscules retournèrent sur le grand arbre.

Une fête formidable fut organisée pour célébrer la victoire de Billy. De tous les coins de la forêt, envahissant branches et brindilles, des Minuscules arrivaient à dos d'oiseau pour féliciter le jeune héros. Quand les applaudissements cessèrent, Don Mini se leva pour faire un discours.

– Peuple des Minuscules, s'écria-t-il en élevant sa petite voix afin que tous puissent l'entendre, l'immonde Goinfrognard, qui a englouti tant de milliers des nôtres, a

disparu à jamais ! Nous pouvons enfin marcher en sécurité sur le sol de la forêt. Aussi maintenant allons-nous cueillir à l'envi myrtilles, clindilles, lutilles, ordilles, clignotilles et pifilles. Toute la journée, nos enfants joueront parmi les fleurs sauvages et les racines.

Don Mini s'arrêta et leva les yeux sur Billy, assis sur une branche, non loin de lui.

– Et qui devons-nous remercier pour ce grand bonheur, mesdames et messieurs ? reprit-il. Qui est le sauveur des Minuscules ?

Don Mini s'interrompit de nouveau, les milliers de Minuscules suspendus à ses lèvres.

– Notre sauveur, notre héros, notre providence est, comme vous le savez déjà, un enfant qui nous a rendu visite, Billy !

(Applaudissements et cris de la foule : « Hourra pour Billy ! »)

– Mon garçon, déclara Don Mini, s'adressant directement à lui, tu as accompli pour nous un acte extraordinaire. En échange, nous voulons faire quelque chose pour toi. J'ai parlé à Cygne… il accepte volontiers de te servir d'hélicoptère privé tant que tu seras assez léger pour voler sur son dos.

(Nouveaux applaudissements et cris de la foule : « Bravo, Cygne ! Idée de génie ! »)

– Cependant, continua Don Mini, tu ne pourras pas voler sur le dos de Cygne en plein jour. Des humains t'apercevraient forcément. Notre secret serait alors dévoilé et tu serais obligé de révéler notre existence, ce qui ne doit jamais arriver, sinon des foules d'humains gigantesques envahiraient notre forêt bien-aimée pour nous trouver et c'en serait à jamais fini de notre vie paisible.

– Je ne dirai rien à personne ! protesta Billy.

– De toute façon, dit Don Mini, nous ne pouvons pas prendre le risque de voler de jour. Mais, toutes les nuits, dès que tu auras éteint la lumière de ta chambre, Cygne viendra à ta fenêtre te proposer une promenade. Quelquefois, il t'emmènera chez nous, d'autres fois, il te conduira dans des endroits merveilleux dont tu n'as même pas idée. À présent, aimerais-tu qu'il te raccompagne chez toi ? Nous pouvons tenter un petit voyage de jour.

– Mon Dieu ! s'exclama Billy. J'avais complètement oublié. Maman doit être paniquée. Il faut que je rentre !

Don Mini donna le signal et, cinq secondes plus tard, Cygne descendait en piqué et atterrissait dans l'arbre. Billy grimpa sur son dos et, alors que l'oiseau déployait ses ailes et s'envolait, toute la forêt, et pas seulement l'arbre sur lequel ils se trouvaient, se mit à vibrer sous les applaudissements d'un million de Minuscules.

JE NE VOUS OUBLIERAI JAMAIS !

Cygne atterrit sur la pelouse de Billy qui sauta à terre. Il courut jusqu'à la fenêtre de la salle à manger qu'il escalada tranquillement. La pièce était vide.

De la cuisine, sa mère lui demanda :

– Que fais-tu, Billy? Tu es silencieux depuis un bon moment.

– Je suis sage, maman, répondit l'enfant. Très sage.

Sa mère entra dans la pièce, une pile de linge à repasser dans les bras.

– Mais qu'as-tu fait? s'écria-t-elle. Tes habits sont absolument dégoûtants !

– J'ai grimpé aux arbres, répondit Billy.

– Je ne peux pas te laisser cinq minutes sans surveillance ! De quel arbre parles-tu ?

– Oh, un vieil arbre, dehors.

– Si tu ne fais pas attention, tu risques de tomber et de te casser le bras, lui dit sa mère. Ne recommence pas.

– D'accord, dit Billy avec un sourire. Je volerai dans les branches sur des ailes d'argent.

– Ne dis pas de bêtises ! dit sa mère en sortant de la pièce avec son linge.

À partir de ce jour, Cygne vint chercher Billy toutes les nuits, quand ses parents étaient couchés et que la maison était silencieuse. L'enfant n'était jamais endormi. Bien éveillé, il attendait ce moment avec impatience. Auparavant, il vérifiait que les rideaux étaient bien tirés et la fenêtre grande ouverte pour que le grand oiseau blanc puisse atterrir près de son lit.

Alors, il enfilait sa robe de chambre, grimpait sur le dos du cygne et ils s'envolaient tous les deux.

Quelle merveilleuse vie secrète c'était de s'élever dans le ciel nocturne sur le dos de Cygne ! Ils pénétraient dans le monde magique du silence, descendant en piqué et planant au-dessus de la terre pendant que les hommes étaient endormis.

Une nuit, Cygne vola plus haut que d'habitude et ils aperçurent un énorme nuage qui brillait d'une lumière d'or pâle. Dans ce moutonnement, Billy discerna des créatures inconnues.

Qui étaient-elles ?

Il mourait d'envie de questionner Cygne, mais il ne parlait pas le langage des oiseaux. De toute évidence, Cygne ne désirait pas se rapprocher de ces créatures d'un autre monde qui demeurèrent inaccessibles.

Une autre nuit, l'oiseau traversa le ciel pendant, sembla-t-il, des heures et des heures, pour arriver à une gigantesque ouverture à la surface de la terre, une sorte de gouffre béant dans le sol. Cygne décrivit lentement des cercles au-dessus de ce cratère puis plongea à l'intérieur. L'oiseau et l'enfant s'enfoncèrent de plus en plus profondément dans le long tunnel obscur.

Soudain, une lumière éclatante comme le soleil se mit à briller, et Billy aperçut un immense lac d'un bleu intense sur lequel des cygnes d'un blanc immaculé glissaient doucement. Ce contraste de couleur était fabuleux.

Billy se demanda si c'était le lieu de rendez-vous secret des cygnes du monde entier; il aurait aimé poser la question à Cygne. Mais, parfois, les mystères sont plus excitants que les explications. Et les cygnes du lac bleu, comme les créatures du nuage doré, resteraient pour toujours dans le souvenir de Billy.

Environ une fois par semaine, Cygne conduisait Billy jusqu'au vieil arbre de la forêt où il rencontrait les Minuscules.

– Tu grandis bien vite, lui dit Don Mini lors d'une visite. Je crains que bientôt tu ne sois trop lourd pour Cygne.

– Je sais, dit Billy. Je n'y peux rien.

– C'est notre plus gros oiseau, continua Don Mini. Quand il ne pourra plus te porter, j'espère que tu viendras quand même nous voir.

– Bien sûr ! s'écria Billy. Je reviendrai toujours vous voir. Je ne vous oublierai jamais !

– Et si certains d’entre nous te rendaient visite en secret ? proposa Don Mini avec un sourire.

– Vraiment ?

– Je pense que oui, dit Don Mini. Nous pourrions nous glisser dans ta chambre, sans bruit, et faire une fête à minuit !

– Mais comment grimperez-vous à la fenêtre ?

– As-tu oublié nos bottes ventouses ? Nous marcherons tout simplement sur le long du mur de ta maison !

– C'est merveilleux ! s'écria le petit garçon. Et nous pourrons nous rendre visite chacun à notre tour !

– Bien sûr ! dit Don Mini.

Et c'est exactement ce qu'il advint.

Ainsi Billy eut-il une vie passionnante, et aucun enfant ne garda aussi fidèlement un grand secret. Jamais il ne révéla l'existence des Minuscules. Je me suis d'ailleurs bien gardé de vous révéler l'endroit où ils vivent et je ne vais pas le faire maintenant. Mais si, par un hasard extraordinaire, en vous promenant dans la forêt, vous apercevez un Minuscule, retenez votre respiration et remerciez votre bonne étoile : jusqu'à présent, aucun être humain, à part Billy, n'en a jamais vu.

Observez bien les oiseaux qui volent dans le ciel. Qui sait, peut-être apercevrez-vous une minuscule créature perchée sur un moineau ou un corbeau.

Regardez bien le rouge-gorge qui vole toujours bas… vous pourrez voir, sur son dos, un jeune Minuscule, un peu inquiet lors de sa première leçon de vol.

Et, surtout, ayez bien les yeux ouverts sur le monde entier, car les plus grands secrets se trouvent toujours aux endroits les plus inattendus.

Ceux qui ne croient pas à la magie ne les découvriront jamais.

Note de l'illustrateur, Quentin Blake

J'ai illustré *L'Énorme Crocodile,* le premier livre de Roald Dahl, il y a près de quarante ans. À l'époque, j'ignorais qu'il y en aurait d'autres mais, en fait, au cours des deux décennies qui ont suivi, j'ai réalisé les illustrations de tous les livres de Roald Dahl.

Tous ses livres, sauf un. En 1990, tandis que j'illustrais *Un amour de tortue,* Patrick Benson réalisait de son côté de magnifiques illustrations en grand format pour *Billy et les Minuscules.* J'apprécie énormément son travail, aussi vous pouvez imaginer ma surprise lorsqu'on m'a demandé de créer de nouveaux dessins pour ce livre. Les mots sont les mêmes mais le format est plus petit et l'ouvrage compte davantage de pages. J'ai donc pu illustrer jusqu'à la moindre scène. Ce travail était passionnant. C'était comme si j'illustrais un tout nouveau livre de Roald Dahl, que je n'aurais encore jamais lu. J'espère que vous ressentirez la même chose.

Table

Quentin Blake

L'illustrateur

Quentin Blake est né dans le Kent, en Angleterre. Il publie son premier dessin à seize ans dans le célèbre magazine satirique *Punch*, et fait ses études à l'université de Cambridge. Il s'installe plus tard à Londres où il devient directeur du département Illustration du prestigieux Royal College of Art. En 1978, commence sa complicité avec Roald Dahl qui dira : « Ce sont les visages et les silhouettes qu'il a dessinés qui restent dans la mémoire des enfants du monde entier. » Quentin Blake a collaboré avec de nombreux écrivains célèbres et a illustré près de trois cents ouvrages, dont ses propres albums (*Clown*, *Zagazou*...). Certains de ses livres ont été créés pour les lecteurs français, tels *Promenade de Quentin Blake au pays de la poésie française* ou *Nous les oiseaux*, préfacé par Daniel Pennac. En 1999, il est le premier Children's Laureate, infatigable ambassadeur du livre pour la jeunesse. Il est désormais Sir Quentin Blake, anobli par la reine d'Angleterre pour services rendus à l'art de l'illustration, et son œuvre d'aujourd'hui va aussi au-delà des livres. Ce sont les murs des hôpitaux, maternités, théâtres et musées du monde entier qui deviennent les pages d'où s'envolent des dessins transfigurant ces lieux. Grand ami de la France, il est officier de l'ordre des Arts et des Lettres et chevalier de la Légion d'honneur.

Pour en savoir plus sur

ROALD DAHL

Roald Dahl était un espion, un pilote de chasse émérite, un historien du chocolat et un inventeur en médecine. Il est aussi l'auteur de *Charlie et la chocolaterie*, *Matilda*, *Le BGG* et de bien d'autres fabuleuses histoires : il est le meilleur conteur du monde !

Dans la collection
FOLIO CADET PREMIERS ROMANS

Fantastique Maître Renard
La Girafe, le pélican et moi
Le Doigt magique
Les Minuscules
Un amour de tortue
Un conte peut en cacher un autre

Pour les plus grands

FOLIO JUNIOR

Charlie et la chocolaterie, n° 446

Charlie et le grand ascenseur de verre, n° 65

Coup de gigot et autres histoires à faire peur, n° 1181

Escadrille 80, n° 418

James et la grosse pêche, n° 517

L'enfant qui parlait aux animaux, n° 674

La Potion magique de Georges Bouillon, n° 463

Le BGG, n° 602

Les Deux Gredins, n° 141

Matilda, n° 744

Moi, Boy, n° 393

Sacrées Sorcières, n° 613

Tel est pris qui croyait prendre, n° 1247

La Poudre à boutons et autres secrets mirobolants de Roald Dahl, n° 1759

ÉCOUTEZ LIRE

Charlie et la chocolaterie

Charlie et le grand ascenseur de verre

Coup de gigot et autres histoires à faire peur

Fantastique Maître Renard

James et la grosse pêche

La Potion magique de Georges Bouillon

Les Deux Gredins

Matilda

Sacrées Sorcières

Le Bon Gros Géant

Maquette : Maryline Gatepaille et Karine Benoit

ISBN : 978-2-07-512770-7
N° d'édition : 373076
Loi n° 49-956 du 16 juillet 1949
sur les publications destinées à la jeunesse
Dépôt légal : août 2020
Premier dépôt légal : juin 2019
Imprimé en Espagne par Novoprint (Barcelone)